新版
NEW EDITION

BASIC KANJI BOOK

—基本漢字500—

VOL.1

解《かい》答《とう》
ANSWERS

Lesson 1

p. 1

See p.2

よみれんしゅう　Ⅰ. (p.7)

1.き　2.くるま　3.つき　4.もん　5.ひ

6.ひと　7.くち　8.やま　9.かわ　10.た

11.じんこう　12.やまださん

よみれんしゅう　Ⅱ. (p.7)

1.にちようび　2.げつようび　3.もくようび

4.にほん　5.さんがつじゅうごにち

6.ひと・やまかわさん

7.やまかわさん・にほんじん

8.やま・つくばさん

9.かわ・とねがわ　10.かわださん・せんもん

かきれんしゅう　Ⅰ. (p.8)

See p.2

1.木　2.人　3.口　4.日　5.月　6.川　7.山

8.田　9.車　10.門

かきれんしゅう　Ⅱ. (p.9)

1.１月　2.２月　3.３月　4.４月　5.５月

6.６月　7.７月　8.８月　9.９月　10.１０月

11.１１月　12.１２月　13.電車　14.日曜日

15.月曜日　16.木曜日　17.筑波山

18.富士山　19.人口　20.専門　21.日本人

22.山田さん　23.山川さん　24.利根川

Lesson 2

p.10

See p.11

よみれんしゅう　Ⅰ. (p.16)

1.わたし　2.こ　3.おんな　4.ひ　5.みず

6.きん　7.つち　8.げつようび　9.かようび

10.すいようび　11.もくようび　12.きんようび

13.どようび　14.にちようび　15.がくせい

16.せんせい

よみれんしゅう　Ⅱ. (p.16)

1.やまかわさん・おかね　2.みず

3.おんなのひと・がくせい

4.わたし・せんせい

5.かねださん・だいがく・せんせい

6.じょしがくせい・にじゅういち

7.わたし・せいねんがっぴ・せんきゅうひゃくろくじゅうねん・さんがつ・じゅういちにち

かきれんしゅう　Ⅰ. (p.17)

See p.11

1.私　2.学生　3.女　4.子　5.先生　6.お金

7.水　8.火　9.土　10.金

かきれんしゅう　Ⅱ. (p.18)

1.月曜日　2.火曜日　3.水曜日　4.木曜日

5.金曜日　6.土曜日　7.日曜日　8.女の人

9.女の子　10.女子学生　11.大学　12.火事

13.生年月日　14.水田　15.私立大学

16.私の先生　17.先に　18.金田さん

19.土田さん　20.金のネックレス

しっていますか できますか (p.19)

1.木よう日です。　2.日よう日です。

3.火よう日です。　4.土よう日です。

5.月よう日です。

Lesson 3

よみれんしゅう　Ⅰ. (p.25)

1.ひゃくえん　2.ろくせんきゅうひゃくえん

3.ろっぴゃくえん　4.いちまんななせんえん

5.よんかげつ　6.はちねん

7.やまだせんせい・とし・よんじゅうきゅう

8.くるま・よんじゅうごまんえん

9.やま・にせんメートル

10.いちねん・さんびゃくろくじゅうごにち

よみれんしゅう　Ⅱ. (p.25)

1.さんがつ・みっか

2.ろくがつ・にじゅうよっか

3.せんきゅうひゃくはちじゅうごねん

4.ぜろさん(の)さんよんろくきゅう(の)はちにごいち

5.くがつ・ここのか・すいようび

6.ごがつ・いつか・こどものひ

7.じんこう・ろくせんまんにん

8.にがつなのか・きんようび

かきれんしゅう Ⅰ.(p.26)

1.一　2.二　3.三　4.四　5.五　6.六　7.七　8.八

9.九　10.十　11.百　12.千　13.一万円

14.千九百年

かきれんしゅう Ⅱ.(pp.26-27)

1.二十円　2.三百円　3.六千円　4.八万円

5.五百二十円　6.八百五十円　7.四万七千円

8.十年　9.百年　10.一人　11.二人　12.三人

13.四人　14.一か月　15.一月一日　16.二月二日

17.三月三日　18.四月四日　19.五月五日

20.六月六日　21.七月七日　22.八月八日

23.九月九日　24.十月十日　25.十一月

26.十二月　27.生年月日

28.千九百六十五年四月二十七日

しっていますか できますか (p.28)

1.百円です。　2.五十五円です。

3.九百円です。　4.千百円です。

5.四十円です。　6.四十円です。

7.五十円です。　8.六十五円です。

9.三十五円です。　10.百八十円です。

Lesson 4

よみれんしゅう Ⅰ.(p.34)

1.ほん　2.なに　3.ちから　4.うえ　5.した

6.なか　7.にほん　8.おおきい　9.ちいさい

10.わかる　11.わける　12.はんぶん

13.だいがく　14.ちゅうがく　15.ななふん

16.なんねん

よみれんしゅう Ⅱ.(p.34)

1.なん・ほん・にほんご・ほん

2.やまださん・せんもん・りきがく

3.うえ・おかね　4.くるま・なか・ちいさい

5.おおきい・はんぶん・わけました

6.なんがつ・なんにち

7.なんじ・なんぷん・くじ・ごじゅっぷん

8.のぼり・くだり・でんしゃ

9.あがる　10.さがる

かきれんしゅう Ⅰ.(p.35)

1.上・中・下　2.大・中・小　3.大きい　4.何

5.何の本　6.小さい大学　7.力　8.分かる

9.五分　10.半分に分ける

かきれんしゅう Ⅱ.(p.36)

1.中　2.水力　3.火力　4.九時半　5.何時何分

6.一本、二本、三本　7.日本人　8.上り　9.下り

10.大人　11.小学校　12.中学校　13.七月の半ば

14.二分の一　15.三分の一　16.四分の三

17.一日中　18.山本さんの専門は力学です

しっていますか できますか (pp.37-38)

1.改札 ticket gate　2.出口 exit　3.入口 entrance

4.上り inbound (train)　5.下り outbound (train)

6.東口 east gate　7.西口 west gate

8.北口 north gate　9.南口 south gate

10.地下鉄 subway

Lesson 5

よみれんしゅう Ⅰ.(p.44)

1.はやし　2.もり　3.からだ　4.おとこ　5.いわ

6.はたけ　7.あいだ　8.あかるい　9.すき

10.やすむ　11.だんじょ　12.じかん

よみれんしゅう Ⅱ.(p.44)

1.わたし・たいいく・すき

2.だんしがくせい・じょしがくせい

3.おとこのひと・おんなのひと

4.もり・もり・あいだ・かわ

5.あかるい・もり・なか・やすみました

6.ちいさい・やま・いちじかん

7.いわたさん・あかるい・ひと

8.やま・うえ・はたけ

かきれんしゅう Ⅰ.(p.45)

1.木×２＝林　2.木×３＝森　3.女と子＝好き

4.田と力＝男　5.日と月＝明るい

6.人と木＝休む　7.門と日＝間　8.山と石＝岩

9.火と田＝畑　10.男と女＝男女

11.男の子＝男子　12.体の力＝体力

かきれんしゅう Ⅱ.(p.46)

1.一分間　2.二時間　3.三日間　4.四週間

5.五か月間　6.六年間　7.森林　8.休日

9.休火山　10.体育　11.私は明るい人が好きだ

12.あの男の人たちは小林さんと岩田さんです

Review Lesson 1-5

Ⅰ.(p.47)

e.g. 1.私は本が好きです。

2.あの人は日本人の学生です。

3.私の生年月日は千九百九十六年四月一日です。

4.この小さい車は二十五万円でした。

Ⅱ.(p.47)

省略(しょうりゃく omitted)

Ⅲ.(p.48)

1.いいえ、タイ人です。　2.日本大学です。

3.十月九日に日本へきました。

4.日本語のクラスでべんきょうします。

5.先週の土よう日です。　6.７人です。

7.休みました。

Lesson 6

p.49

See p.50

よみれんしゅう Ⅰ.(p.54)

1.あめ　2.いし　3.め　4.あし　5.いと　6.みみ

7.て　8.たけ　9.かい　10.こめ

11.ひと・め・みみ　12.にほんじん・こめ

よみれんしゅう Ⅱ.(p.54)

1.わたし・きって　2.ちゅうべい

3.にほん・せきゆ　4.あめ・ひ・てがみ

5.わたし・にほんご・じょうず

6.いっそく・くつした・よんそく

かきれんしゅう Ⅰ.(p.55)

See p.50

1.手足　2.雨の日　3.貝がら　4.米

5.目上の人と目下の人　6.竹の子　7.石川さん

8.糸山さん

かきれんしゅう Ⅱ.(p.56)

1.目的　2.目次　3.手紙　4.切手　5.上手な

6.下手な　7.助手　8.不足　9.大雨　10.小雨

11.竹の子　12.米国　13.北米　14.南米

15.中米　16.糸　17.石川県　18.竹田さん

Lesson 7

p.59

See Unit 2

よみれんしゅう Ⅰ.(p.63)

1.にく　2.さかな　3.はな　4.ちゃ　5.うま

6.うし　7.とり　8.もじ　9.せいぶつ

10.ぎゅうにく　11.にほんちゃ　12.ぶん

よみれんしゅう Ⅱ.(p.63)

1.ばしゃ　2.やきざかな　3.よみもの

4.かいもの　5.かびん・はな

6.にくや・とりにく　7.だいがく・かんじ

8.わたし・にほんちゃ・すき

9.もり・なか・ことり

10.にほんじん・さかな・こめ・すき

かきれんしゅう Ⅰ.(p.64)

See Unit 2

1.牛肉　2.小鳥　3.馬車　4.文字　5.文学
6.生物学　7.日本茶　8.金魚　9.さくらの花
10.文

かきれんしゅう　Ⅱ.(p.65)

1.花屋　2.魚屋　3.肉屋　4.牛肉　5.豚肉
6.鳥肉　7.馬肉　8.魚肉ソーセージ　9.焼き肉
10.焼き魚　11.焼き鳥　12.牛乳　13.肉体
14.本物　15.漢字　16.馬力　17.小馬　18.花火
19.花びん

しっていますか できますか(p.66)

a⑤　b⑩　c⑦　d②　e③　f①　g⑨　h⑧
i④　j⑥

Lesson 8

れんしゅう(p.68)

1.高い　2.安い　3.長い　4.短い　5.新しい
6.古い　7.明るい　8.暗い　9.多い
10.少ない／少し　11.低い　12.大きい　13.小さい

よみれんしゅう　Ⅰ.(p.72)

1.たかい　2.ふるい　3.やすい　4.ながい
5.おおい　6.くらい　7.ひくい　8.みじかい
9.あたらしい　10.すくない　11.あかるい
12.しんしゃ・ちゅうこしゃ　13.がくちょう

よみれんしゅう　Ⅱ.(p.72)

1.やすみ・ひ・すくない
2.もり・なか・くらい
3.ひと・たんだい・がくちょう
4.しょうねん・て・あし・ながい
5.みず・たかい・ひくい
6.しょうがっこう・ちゅうがっこう・こうこう・だいがく

かきれんしゅう　Ⅰ.(p.73)

1.新しい年＝新年　2.古い車　3.中古車
4.大学の学長　5.長い　6.短い　7.人が多い
8.人が少ない　9.暗い森　10.高い肉　11.安い魚
12.低下する

かきれんしゅう　Ⅱ.(p.74)

1.少年　2.少女　3.お金が少しある　4.高山
5.安物　6.古本　7.短い糸　8.長い間　9.新茶
10.古文　11.長文　12.短文　13.長男　14.長女
15.安全な　16.短大　17.高校

Lesson 9

れんしゅう(p.78)

名詞(Nouns)：花 茶 私 雨 日 魚 山 本 字 車
形容詞(Adjectives)：長 大 古 明 高 安
動詞(Verbs)：買 読 休 書 行 来 飲 聞

読みれんしゅう　Ⅰ.(p.82)

1.はなす　2.きく　3.かく　4.よむ　5.みる
6.いく　7.くる　8.かえる　9.かう　10.のむ
11.たべる　12.おしえる
13.くるま・だいがく・いく
14.らいげつ・たなかさん・くる
15.にく・たべる・さかな・たべる
16.かいもの

読みれんしゅう　Ⅱ.(pp.82-83)

1.ふるい・しんぶん・よみました
2.やまださん・でんわ・はなします
3.ごじ・かえります
4.きょうしつ・にほんご・おしえます
5.だいがく・しょてん・やすい・ほん・かいました
6.わたし・どくしょ・りょこう・すき・みません
7.にほん・あたらしい・だいがく・けんがくします
8.じゅうぎょうめ・ぶん・よんで

書きれんしゅう　Ⅰ.(p.83)

1.行く　2.帰る　3.来る　4.食べる　5.飲む
6.見る　7.聞く　8.話す　9.読む　10.書く
11.見物する　12.読書　13.新聞

書きれんしゅう　Ⅱ. (p.84)

1.食べ物　2.飲み物　3.読み物　4.買い物

5.旅行　6.銀行　7.三行目　8.帰国する

9.来週　10.来月　11.来年　12.電話　13.朝食

14.昼食　15.夕食　16.飲食店　17.見学する

18.花見　19.教育　20.花を買う

21.日本茶を飲む

Lesson 10

読みれんしゅう　Ⅰ. (p.91)

1.あさ　2.ひる　3.ばん　4.よる　5.ゆうがた

6.ごぜん　7.ごご　8.げつよう　9.かよう

10.すいよう　11.もくよう　12.きんよう

13.どよう　14.にちよう　15.まいにち　16.まえ

17.うしろ

読みれんしゅう　Ⅱ. (pp.91-92)

1.せんしゅう、こんしゅう、らいしゅう、まいしゅう

2.せんげつ、こんげつ、らいげつ、まいつき(まいげつ)

3.きょねん、ことし、らいねん、まいとし(まいねん)

4.わたし・まいあさ・にほん・しんぶん・よみます

5.ゆうしょく・にほんちゃ・のみます

6.だいがく・ひるやすみ・ごじゅうごふん

7.すいようび・あさ・ばん

8.にしゅうかんまえ・ほん・かいました

書きれんしゅう　Ⅰ. (p.92)

1.朝　2.昼　3.晩＝夜　4.夕方　5.毎週

6.午前　7.午後　8.日曜日

書きれんしゅう　Ⅱ. (pp.92-93)

1.朝食　2.昼食　3.夕食　4.夜食　5.夜中

6.先週　7.来週　8.毎週　9.二週間　10.毎日

11.毎月　12.毎年　13.毎朝　14.毎晩　15.前

16.後　17.後ろ　18.前半　19.後半　20.読み方

21.書き方　22.聞き方　23.話し方　24.食べ方

25.見方

Review Lesson 6-10

Ⅰ. (p.94)

e.g.　1.朝、お茶を飲みます。

2.高い肉を買いました。

3.昼に魚を食べます。

4.新聞を読みます。

5.来週、帰ります。

Ⅱ. (p.95)

1.大きい(おお-きい) e.g.目が大きい。

2.小さい(ちい-さい) e.g.あの子はまだ小さい。

3.新しい(あたら-しい) e.g.新しい車を買った。

4.古い(ふる-い) e.g.このテレビは古い。

5.明るい(あか-るい) e.g.明るいブルーが好きだ。

6.暗い(くら-い) e.g.夜は暗い。

7.多い(おお-い) e.g.雨の日が多い。

8.少ない(すく-ない) e.g.このクッキーはバターが少ない。

9.高い(たか-い) e.g.高いサングラスを買った。

10.低い(ひく-い) e.g.このソファは低い。

11.安い(やす-い) e.g.安いカメラを見つけた。

12.短い(みじか-い) e.g.スカートが短い。

Ⅲ. (p.95)

1.安(あん) e.g.安心する　2.新(しん) e.g.新聞

3.多(た) e.g.多数　4.高(こう) e.g.高校

5.大(だい) e.g.大学　6.少(しょう) e.g.少年

7.短(たん) e.g.短大　8.古(こ) e.g.中古車

Ⅳ. (p.96)

1.新―古　2.長―短　3.明―暗　4.大―小

5.多―少　6.低―高

Ⅴ. (p.96)

1.買います(か-います)

2.教えます(おし-えます)

3.来ます(き-ます)

4.話します(はな-します)

5.行きます(い-きます)

6.帰ります(かえ-ります)

7.読みます(よ-みます)

8.食べます(た-べます)

9.上がります(あ-がります)／上げます(あ-げます)／上ります(のぼ-ります)

10.下がります(さ-がります)／下げます(さ-げます)／下ります(くだ-ります)

Ⅵ. (p.96)

1.テレビを見ます／買います

2.新聞を読みます／買います

3.日本語を話します／聞きます

4.大学へ行きます／来ます／帰ります

5.文字を書きます／読みます

6.大学で教えます

7.大学を休みます

8.魚を食べます／買います

＜クロス漢字クイズ＞ (p.97)

ヨコ

1.新聞　2.中古車　3.来月　5.大学生　7.日本人

9.学長　12.水を飲む　14.金の糸　15.買物

16.小魚

タテ

1.新車　2.中米文学　4.月曜日　5.大人

6.生物学　8.本を読む　10.長い糸　11.花を買う

13.飲物　14.金魚　16.小鳥

Lesson 11

れんしゅう (p.98)

1) or 2)：物 短 後 低 話

3) or 4)：男 茶 書 見 買 前 夜

5)：none　　6)：間 国　　7)：週

れんしゅう (p.99)

1. sun　2. say　3. tree　4. eat

読みれんしゅう　Ⅰ. (p.103)

1.つくる　2.およぐ　3.あぶら　4.うみ

5.さけ　6.まつ　7.がっこう　8.じかん

9.とけい　10.いう　11.にほんご　12.ごはん

13.すいえい　14.せきゆ　15.こうちょう

読みれんしゅう　Ⅱ. (pp.103-104)

1.にほんご・さくぶん・かきました

2.がっこう・いちじかん・およぎました

3.ラテンご・ふるい・げんご

4.ゆうはん・さかな・ごはん

5.さかや・にほんしゅ・いっぽん・かいました

6.だいがく・おおきい・とけい・した・たなかさん・まちます

7.こめ・あぶら・かいます

書きれんしゅう　Ⅰ. (p.104)

1.油　2.海　3.ご飯　4.酒　5.作る　6.泳ぐ

7.待つ　8.言う　9.日本語　10.時間　11.学校

12.時計

書きれんしゅう　Ⅱ. (pp.104-105)

1.四時　2.五時　3.六時　4.午前七時

5.午後九時半　6.一時間　7.何時　8.小学校

9.中学校　10.高校　11.校長　12.作文　13.石油

14.水泳　15.中国語　16.言語学

17.朝飯＝朝ご飯＝朝食

18.昼飯＝昼ご飯＝昼食

19.晩飯＝晩ご飯＝夕飯＝夕食

しっていますかできますか (p.107)

Ⅰ.

1.油(あぶら・ユ)　2.校(コウ)

3.待(ま-つ・タイ)　4.飲(の-む・イン)

5.語(ゴ)　6.休(やす-む・キュウ)

7.新(あたら-しい・シン)　8.海(うみ・カイ)

9.私(わたし・シ)

Ⅱ.

1. h.行　n.後

2. i.時　m.明　p.暗　(l.昨)

3. a.休　b.何　e.低　l.作　(i.侍)

4. c.油　f.酒　(b.河　d.活　j.汁)

5. a.林　g.校　(k.板)

6. d.話　j.計　(i.詩)

7. k.飯　o.飲

Lesson 12

れんしゅう (p.108)

rain

れんしゅう (p.108)

power　stone

読みれんしゅう　Ⅰ. (p.112)

1.おたく　2.きゃく　3.きょうしつ　4.いえ
5.えいご　6.あう　7.くすり　8.かいわ　9.ゆき
10.くも　11.でんわ　12.いま　13.うる

読みれんしゅう　Ⅱ. (pp.112-113)

1.けさ、こんばん、きょう、こんしゅう、こんげつ、ことし

2.せんせい・けんきゅうしつ・おたく・でんわ

3.くすりや・きゃく・おおい

4.きょう・くも・おおい・くらい・でんき

5.やま・ほう・じゅういちがつ・ゆき

6.やまかわさん・くるま・さんじゅうきゅうまんえん・ちゅうこしゃ・うりました

7.いえ・まえ・しょうがっこう・こうちょうせんせい・あいました

8.いま・きょうしつ・えいご・かいわ・きいて

書きれんしゅう　Ⅰ. (p.113)

1.家　2.お宅　3.客　4.教室　5.今　6.会う　7.薬
8.英語　9.雪　10.雲　11.電話　12.売る

書きれんしゅう　Ⅱ. (pp.113-114)

1.今日　2.今週　3.今月　4.今年　5.英国
6.英国人　7.会話　8.会社　9.薬屋　10.目薬
11.売る　12.買う　13.雨　14.雪国　15.電気
16.電車　17.私の家＝自宅
18.家に帰る＝帰宅する　19.研究室　20.客室
21.売店　22.家族

読み物 (p.115)

1.プラニーさんが中田花子さんに書きました。

2.北海道にいます。

3.中田さんに電話をしました。

4.先週の金曜日です。

5.英語とタイ語で話しました。

しっていますかできますか (p.116)

Ⅰ.

1. a　2. b　3. b　4. a　5. b　6. b　7. c
8. a　9. c

Ⅱ.

a. 8.前　　b. 1.花　4.薬
c. none　　d. 2.字　5.室　10.安
e. 2.学　　f. 6.雲　7.雪
g. 3.食　6.会　9.今

Lesson 13

れんしゅう (p.117)

1. 4)　2. 1)　3. 1)　4. 2)　5. 3)
6. 1)　7. 5)　8. 3)　9. 6)　10. 4)
11. 3)　12. 6)

読みれんしゅう　Ⅰ. (p.121)

1.ひろい　2.いたい　3.いちど　4.いっかい
5.くに　6.びょうにん　7.みせ　8.ほんや
9.つかれる　10.こまる　11.あける　12.しめる
13.えいこく

読みれんしゅう　Ⅱ. (pp.121-122)

1.はなや、さかなや、くすりや、さかや、にくや

2.じかん・みせ・ちかく・ひとまわり

3.みせ・かいてんじかん・へいてんじかん・おしえて

4.あし・いたい・こんど・どようび・びょういん・いきます

5.がいこくご・こまります

6.だいがく・こくりつだいがく・がいこくじんがくせい・おおい

7.もりかわしょてん・ふるほんや・まいにち・ごぜんじゅうじ・あいて・ごごごじはん・しまります
8.きょう・よる・くじ・おしえました・つかれました
9.みせ・やすんで・でんしゃ・くすりや・いきました
10.ひろしまだいがく・しりつだいがく

書きれんしゅう　Ⅰ. (p.122)

1.広い　2.痛い　3.店　4.国　5.疲れる　6.病気
7.書店＝本屋　8.困る　9.一回＝一度
10.開ける　11.閉める

書きれんしゅう　Ⅱ. (p.123)

1.肉屋　2.魚屋　3.酒屋　4.薬屋　5.本店
6.支店　7.売店　8.屋上　9.今度　10.病院
11.病人　12.頭が痛い＝頭痛　13.疲れ
14.開店する　15.閉店する　16.外国人
17.外国語　18.広島

読み物 (p.124)

1.目が痛かったので、病院に／へ行きました。
2.病院が開いていなかったからです。
3.病院の後ろの薬局に／へ行きました。
4. b
5.広田さんに会いました。
6.いい薬屋があります。
7.目薬を買いました。

しっていますかできますか (p.125)

e.g. 1. h.スーパー　2. b.本屋　3. h.スーパー
4. f.肉屋　5. c.酒屋　6. h.スーパー
7. a.パン屋　8. h.スーパー　9. e.八百屋
10. b.本屋　11. g.ガソリンスタンド
12. h.スーパー　13. d.魚屋　14. c.酒屋
15. f.肉屋　16. h.スーパー　17. c.酒屋
18. a.パン屋　19. d.魚屋　20. h.スーパー

Lesson 14

読みれんしゅう　Ⅰ. (p.130)

1.ちかい　2.とおい　3.はやい　4.おそい
5.あおい　6.しずかな　7.はれる　8.うたう
9.もつ　10.みち　11.てら　12.うた　13.にもつ

読みれんしゅう　Ⅱ. (pp.130-131)

1.すいどう・みず・のみます
2.なか・てにもつ・もちこみます
3.しずかな・やまでら・やすみました
4.きんじょ・こどもたち・うた・うたった
5.でんしゃ・じゅうきゅうふん・おくれて・がっこう・ちこくした
6.えいこくじん・せいねん・め・あおい
7.ちかく・もり・えんそく・いきました
8.てらださん・かねもち
9.ゆうがた・はれる
10.しんかんせん・そくど・じそく・なんキロ

書きれんしゅう　Ⅰ. (p.131)

1.近い　2.遠い　3.速い　4.遅い　5.青い
6.静かな　7.歌う　8.持つ　9.荷物　10.道
11.晴れる　12.寺

書きれんしゅう　Ⅱ. (p.132)

1.歌手　2.国歌　3.手荷物　4.速度　5.金持ち
6.歩道　7.車道　8.近所　9.近く　10.遠く
11.遠足　12.晴天　13.遅刻する　14.遅れる
15.持ち物　16.青年　17.静かな人

読み物 (p.133)

1.今度の土曜日です。
2.いいえ、遠くじゃありません。
3.古いお寺へ行きます。
4.静かで、いいところです。
5. ３時間ぐらいあるくからです。
6.昼ご飯と飲み物を持って行きます。

Lesson 15

読みれんしゅう Ⅰ. (p.140)

1.ちち　2.はは　3.あに　4.おとうと　5.あね
6.いもうと　7.ともだち　8.かれ　9.かのじょ
10.おとうさん　11.おかあさん　12.おにいさん
13.おねえさん　14.おくさん　15.ごしゅじん
16.おっととつま

読みれんしゅう Ⅱ. (pp.140-141)

1.やましたさん・おくさん・わたし・あに・ともだち
2.かれ・おねえさん・うた・じょうず
3.おとうと・ちゅうがくせい・まいにち・よじ・がっこう・かえります
4.かのじょ・ひろい・いえ・もって
5.しゅじん・きょうだい・すくない
6.ちち・はは・かいもの・いって
7.ばん・いもうと・でんわ・さんじゅっぷん・はなしました
8.やまだせんせい・ごふさい

書きれんしゅう Ⅰ. (p.141)

1.友だち　2.彼　3.彼女　4.父＝お父さん
5.母＝お母さん　6.兄＝お兄さん　7.弟
8.姉＝お姉さん　9.妹　10.夫＝主人
11.妻＝奥さん

書きれんしゅう Ⅱ. (p.142)

1.兄弟　2.父母　3.夫妻　4.姉妹　5.長兄
6.父母会　7.田中夫人＝田中さんの奥さん
8.山本先生の弟子　9.父の友人　10.主な言語
11.母国　12.母国語

読み物 (p.143)

C

Review Lesson 11-15

Ⅰ. (pp.144-145)

1. a.時計　2. b.酒　3. b.電話　4. a.病気
5. a.学校　6. b.新聞　7. a.休む　8. b.静か
9. a.雪　10. b.花屋　11. a.姉　12. b.夕飯

Ⅱ. (p.145)

e.g.　1.会い　2.作っ　3.閉め　4.困り　5.言っ
6.持っ　7.泳ぎ・疲れ　8.売っ　9.待っ

Lesson 16

れんしゅう (p.148)

1.ソフトな soft　2.ビッグな big
3.カラフルな colorful　4.ヘルシーな healthy

読みれんしゅう Ⅰ. (p.152)

1.おや　2.なまえ　3.わかい　4.はやい
5.いそがしい　6.げんきなおとこのこ
7.しんせつなせんせい　8.ゆうめいなおてら
9.べんりなくるま　10.ふべんなでんしゃ

読みれんしゅう Ⅱ. (pp.152-153)

1.はな・なまえ・なん
2.せんしゅう・びょうき・がっこう・やすみました・こんしゅう・すこし・きぶん・らいしゅう・げんき
3.ごぜんちゅう・おきゃく・おおい・いそがしい
4.なごや・ゆうめいな・みせ・いきました・みせ・ひと・しんせつ
5.うた・わかい・ひと・にんき
6.あさ・はやく・しずかな・いきました
7.きって・おとうと・たいせつな
8.わたし・いえ・ひろい・だいがく・とおい・すこし・ふべん
9.かれ・ちちおや・ははおや・わかくて・げんき

書きれんしゅう Ⅰ. (p.153)

1.元気な　2.有名な　3.親切な　4.不親切な
5.便利な　6.不便な　7.若い　8.忙しい　9.早い
10.病気　11.名古屋　12.名前

書きれんしゅう Ⅱ. (p.154)

1.不安な　2.有利な　3.不利な　4.不足する

5.親しい　6.親　7.気持ち　8.有力な　9.切手

10.切符　11.大切な　12.切る　13.航空便

14.船便　15.郵便　16.宅配便　17.若い女の人

18.早朝　19.早い時間　20.名物

読み物 (p.155)

A：9.ウエートレス　B：7.歌手　C：2.医者

D：5.本屋　E：3.花屋　F：1.先生

G：8.運転手

Lesson 17

読みれんしゅう Ⅰ. (p.163)

1.いりぐち・はいります　2.でぐち・でます

3.くるま・のります　4.でんしゃ・おります

5.じゅういちじ・いえ・つきました

6.とおり・わたります

7.ほどう・あるきます　8.はしります

9.でんき・とまりました　10.うごきません

11.みせ・はたらいて

12.だいがく・にゅうがくします

読みれんしゅう Ⅱ. (pp.163-164)

1.あさ・あめ・ふって

2.て・あげて・とめました

3.あおい・きもの・きて

4.じょうしゃけん・いれて

5.だいがく・まえ・とおります

6.くるま・じそく・はしります

7.あけて・なか・えいご・ほん・だしました

8.えんそく・あめ・ちゅうし

9.にちようび・のって・もりたさん・おたく・いきました・ちかく・はなや・まえ・おりて・はな・かって・あるきました

10.かれ・どうぶつ・だいすき・どうぶつびょういん・はたらいて

書きれんしゅう Ⅰ. (pp.164-165)

1.中に入る　2.外に出る　3.駅に着く

4.通りを渡る　5.バスに乗る　6.バスを降りる

7.車が止まる　8.馬が走る　9.道を歩く

10.人＋動く＝働く

書きれんしゅう Ⅱ. (p.165)

1.本屋の前を通る　2.動物　3.中止する

4.水着を着る　5.雨が降る

6.学校に通う＝通学する　7.入学する

8.出席する　9.出口　10.入口　11.歩道　12.乗客

13.乗車券　14.交通

読み物 (p.166)

2

しっていますかできますか (p.167)

a. 6.一時停止　b. 7.徐行　c. 8.一方通行

d. 1.横断歩道　e. 2.歩行者横断禁止

f. 9.車両進入禁止　g. 10.駐車禁止

h. 3.自転車通行止め

Lesson 18

読みれんしゅう Ⅰ. (p.172)

1.みぎて　2.ひだりあし　3.とうなん

4.とうほく　5.がいこく＝かいがい

6.こくない　7.えき　8.へや　9.びょういん

10.かいしゃ　11.ぶぶん　12.ほっかいどう

読みれんしゅう Ⅱ. (pp.172-173)

1.ひだり・め・いたい・びょういん・いきます

2.えき・まえ・あたらしい

3.なんべい・ちゅうべい・おおく・りゅうがくせい・きました

4.さゆう・みて・みち・わたりましょう

5.てんない・がいこく・もの

6.わたし・かいしゃ・ちかく・びょういん

7.がっこう・しつない・およぎます

8.だいがくいん・しゃかいがく

書きれんしゅう　Ⅰ.（p.173）

1.右　2.左　3.外側　4.内側　5.東　6.西　7.南

8.北　9.部屋　10.駅　11.会社　12.病院

書きれんしゅう　Ⅱ.（pp.173-174）

1.左手　2.右足　3.左右　4.東西南北

5.東南アジア　6.東北　7.北米　8.中米　9.南米

10.関西と関東　11.西洋と東洋　12.北海道

13.国内の　14.外国の　15.海外　16.部分

17.文学部　18.テニス部　19.新聞社　20.社長

21.大学院　22.入院する

読み物（p.175）

こたえはテキストのｐ.178

しっていますかできますか（pp.176-177）

西田さん：１　北川さん：３

Lesson 19

もんだい（p.179）

1.図書＋館　2.新聞＋社　3.不＋人気

4.古本＋屋　5.古＋新聞　6.中国＋語

読みれんしゅう　Ⅰ.（p.184）

1.ちかてつ　2.こうじょう　3.ばしょ

4.こうえん　5.としょかん　6.じゅうしょ

7.ばんごう　8.すむ　9.どうぶつえん

10.ちほう

読みれんしゅう　Ⅱ.（pp.184-185）

1.なまえ・じゅうしょ・でんわばんごう・かいて

2.ちず・みて・きごう・がっこう・こうじょう・びょういん・おてら

3.ともだち・してつ・えき・ちかく・じゅうたくち・すんで

4.にしかわさん・あたらしい・じゅうしょ・あさひ・さんちょうめ・いちばんち・ひゃくいちごう

5.べいこく・たいしかん・まえ・こうばん

6.かれ・だいどころ・ばんぐみ・みて

書きれんしゅう　Ⅰ.（p.185）

1.地下鉄　2.土地　3.鉄道　4.工場　5.公園

6.図書館　7.場所　8.住所　9.番号　10.地図

書きれんしゅう　Ⅱ.（pp.185-186）

1.公園の近くに住む　2.住宅　3.住民

4.便利な所　5.番地　6.静かな場所　7.１号室

8.売り場　9.駐車場　10.大使館　11.映画館

12.研究所　13.動物園　14.筑波学園都市

15.近所の人　16.駅前広場　17.信号

18.電話番号　19.工業　20.工事　21.天気図

22.公立学校　23.公開講座

読み物（p.187）

D

しっていますかできますか（pp.188-189）

1.二つあります。　2.高等《こうとう》学校があります。

3.公園があります。　4.南にあります。

5.神社《じんじゃ》／郵便局《ゆうびんきょく》があります。

Lesson 20

読みれんしゅう　Ⅰ.（p.194）

1.し　2.く　3.まち　4.むら　5.しま

6.たなかさま　7.とうきょうと

8.いばらきけんつくばし　9.きょうとふ

10.やまぐちけん　11.あおもりけん

12.はんとう

読みれんしゅう　Ⅱ.（p.194）

1.にほん・いっと・いちどう・にふ・よんじゅうさんけん・くぶんされて

2.とうきょうと・ちよだく・ちゅうおうく・く・まちだし・ふちゅうし・し

3.にほん・なんぼく・ながく・かざん・おおい・しまぐに

4.てがみ・だす・とき・あいて・なまえ・した・さま・じ・かく

5.ゆうびんばんごう・かけば・とどうふけんめい・かかなくても

6.しまむらさん・こども・とき・とうきょう・したまち・すんで

7.とかい・ふるい・いちば・あたらしい・つくって

書きれんしゅう　Ⅰ. (p.195)

1.村　2.町　3.市　4.区　5.京都府

6.東京都　7.茨城県　8.つくば市　9.半島

10.木村様

書きれんしゅう　Ⅱ. pp.195-196)

1.市長　2.町長　3.村長　4.都知事　5.県知事

6.区役所　7.市役所　8.町役場　9.村役場

10.都庁　11.県庁　12.広島県

13.日本は島国です　14.ジャワ島　15.田中様

16.地区　17.上京する　18.下町　19.日本政府

20.伊豆半島　21.様子　22.様々な区分　23.市場

24.市場

Review Lesson 16-20

Ⅰ. (p.198)

1.左⇔右　2.外⇔内,中　3.東⇔西　4.北⇔南

5.遅い⇔速い,早い　6.便利な⇔不便な

7.親切な⇔不親切な　8.入る⇔出る

9.乗る⇔降りる　10.動く⇔止まる

11.働く⇔休む　12.病気⇔元気

13.国内⇔国外,海外　14.出す⇔入れる

Ⅱ. (p.199)

e.g. 1.北海道でアイスクリームを食べました。

2.外国に住みたいです。

3.教室から出てください。

4.病院で友だちに会いました。

5.地下鉄を降りて、バスに乗りました。

6.電車が小さい町に着きました。

7.どんな所で働きたいですか。

8.日曜日には家でコーヒーを飲んだり、新聞を読んだりします。

9.この道を駅まで走りましょう。

れんしゅう (p.200)

1.〔①〕前後(ぜんご)

2.〔④〕通学(つうがく)

3.〔③〕広場(ひろば)

4.〔③〕住所(じゅうしょ)

5.〔④〕外出(がいしゅつ)

6.〔①〕左右(さゆう)

7.〔③〕着物(きもの)

8.〔②〕早速(さっそく)

9.〔③〕長文(ちょうぶん)

10.〔④〕開店(かいてん)

11.〔①〕長短(ちょうたん)

12.〔④〕飲酒(いんしゅ)

13.〔①〕開閉(かいへい)

14.〔④〕読書(どくしょ)

Lesson 21

問題 (p.202)

1.[　]時計　2.[　]元気　3.[　]住所

4.[○]学習　5.[　]言語　6.[○]不足

7.[　]問題　8.[○]電話　9.[　]会社

10.[○]中止　11.[　]病院　12.[○]見物

13.[○]外出　14.[○]帰国

読み練習　Ⅰ. (p.206)

1.べんきょうする　2.けんきゅうする

3.れんしゅうする　4.りゅうがくする

5.しつもんする　6.こたえる　7.ならう

8.つよい　9.しゅくだい　10.もんだい

読み練習　Ⅱ. (pp.206-207)

1.まいしゅう・にちようび・あさ・ばん・しゅくしゃ・にほんご・べんきょうして

2.だいがくいん・はいって・なに・けんきゅうした

3.まいばん・しゅくだい・いそがしい

4.ぶん・よんで・しつもん・こたえなさい

5.だいがく・りゅうがくせい・すくない

6.いま・ドイツご・ならって・まいにち・きいて・れんしゅうします

7.ひと・わだい・おおくて・あかるい・せいしつ

8.にほん・しょうがつ・おせわ・ひと・いえ・ほうもんする・しゅうかん

書き練習 Ⅰ.(p.207)

1.問題　2.宿題　3.答える　4.習う

5.勉強する　6.練習する　7.研究する

8.留学する　9.質問する　10.学習する

書き練習 Ⅱ.(pp.207-208)

1.復習　2.本の題名　3.性質　4.学生宿舎

5.英語を習う　6.質問に答える

7.漢字を練習する　8.日本語を勉強する

9.習慣　10.生物学を研究する　11.宿泊する

書き練習 Ⅲ.(p.208)

1.この練習問題の答(え)が分かりません。

2.先生の研究室で、いろいろな質問をした。

3.外国の人と会話するとき(時)は、話題に気をつけましょう。

4.米国に留学して、英語を勉強してきた。

5.住宅問題について、今度の土曜に研究会がある。

読み物(pp.209-210)

1.宿題　2.16

しっていますかできますか(p.211)

1.練習　2.留学　3.公園　4.質問

Lesson 22

読み練習 Ⅰ.(p.217)

1.れきし　2.きょういく　3.けいざい　4.せいじ

5.すうがく　6.いがく　7.かがく　8.ぶつり

9.かがく　10.たいいく　11.がくれき

12.せいふ　13.きょうかしょ

読み練習 Ⅱ.(pp.217-218)

1.おとうと・だいがくいん・ぶつりがく・けんきゅうして

2.あね・いま・ふたり・こども・そだてて

3.あに・いがくぶ・でて・ないか・いしゃ

4.れきし・きょうかしょ・もんだい

5.かれ・がくもん・けいざいりょく

6.かのじょ・めいじじだい・ゆうめいな・せいじか

7.だいがく・ぶんがくぶ・きょういくがくぶ・せいじがくぶ・けいざいがくぶ・りがくぶ

8.がいこく・いく・まえ・くに・ぶんか・べんきょうした

9.くすり・びょうき・なおす

10.すうがく・たいいく・すき

11.りゅうがくして・ちり・べんきょう

12.きたがわさん・すうねんまえ・とうきょう・けいざいしんぶんしゃ・はたらいて

書き練習 Ⅰ.(p.218)

1.政治　2.経済　3.歴史　4.教育　5.文化

6.物理　7.化学　8.科学　9.数学　10.医学

11.体育

書き練習 Ⅱ.(p.219)

1.地理　2.政府　3.医者　4.数字　5.明治時代

6.国を治める　7.理由　8.会社を経営する

9.変化する　10.学歴

書き練習 Ⅲ.(p.219)

1.彼女は子どもを育てながら、大学で経済を勉強した。

2.目を閉じて、一から十まで数えてください。

3.エレベーターの右が内科の病室、左が外科の病室です。

4.宿題は、数学の教科書の53ページの問題です。

5.外国語を習うとき(時)は、その国の文化もいっしょに習ったほう(方)がいい。

読み物(p.220)

a. 10.経済　b. 1.スポーツor15.教育学

c. 14.言語学　d. 9.コンピューター科学

e. 12.歴史　f. 15.教育学　g. 4.医学

h. 16.文学　i. 6.化学　j. 7.物理学

k. 11.政治